¡Qué asco de sándwich!

Escrito por Gareth Edwards

Ilustrado por Hannah Shaw

miau

Grgrrr...
Grgrrr...
BIENVENIDO

En una arboleda junto a un parque vivía un tejón.
Era un tejón hambriento y su barriga no podía parar de rugir.

Un día un niño llegó al parque.
Llevaba un sándwich, con el pan blanco
y mantequilla de cacahuete.

Era un sándwich

precioso.

El niño fue a jugar y se llevó su sándwich.

Estaba a punto de darle un mordisco
cuando una niña se chocó con él,
y el sándwich cayó a la arena.

Ahora el sándwich de pan blanco
estaba cubierto de arena.
—Bueno —dijo la niña—,
creo que ya no te lo puedes comer.
Está asqueroso.

Una ardilla encontró el sándwich,
a ella no le importó nada que
tuviera arena.

Se llevó el sándwich al árbol donde
estaban sus hijos.

Pero ellos no querían compartir...

y el sándwich se cayó del árbol...

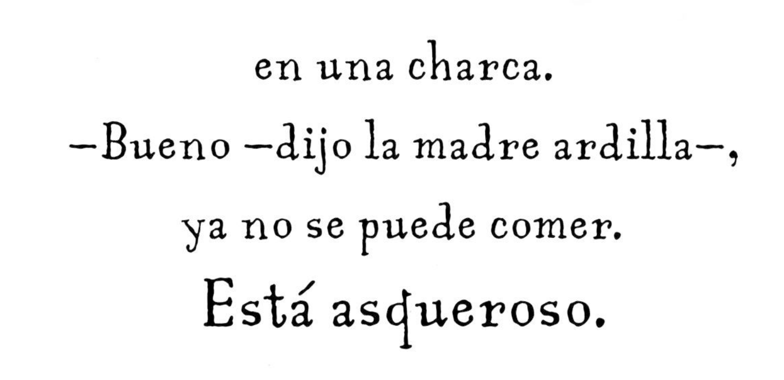

en una charca.

—Bueno —dijo la madre ardilla—,
ya no se puede comer.
Está asqueroso.

Una rana vio el sándwich. Estaba flotando en el agua verde y
pringosa de la charca que olía a huevos podridos.
A la rana no le importó la arena y el pringue verde.
Tomó el sándwich para comérselo por el camino.

Pero un chico
con un patinete
se le echó encima en plena
carrera y tuvo que saltar
fuera del camino.
Ahora el sándwich tenía
una gran marca negra
que lo aplastaba por el medio.
—Vaya —dijo la rana—.
Ya no me lo puedo comer.
Está asqueroso.

Un cuervo vio
el sándwich.

No le importó la arena,
el pringue verde ni las
marcas negras que lo
aplastaban.

El cuervo agarró el sándwich con el pico
y voló orgulloso hasta su nido
para dárselo a su madre.

Pero una cosa voladora le asustó y se le cayó
el sándwich en un hormiguero.
Se llenó de cientos de hormigas.

—Bueno —dijo la mamá del cuervo—,
ya no nos lo podemos comer.
Está asqueroso.

Y llegó un zorro que se encontró el sándwich.

A él no le importó la arena, el pringue verde, ni las marcas negras, ni los cientos de hormigas.
Era el regalo perfecto para la chica que le gustaba.

Pero cuando abrió el hocico para decirle a ella lo bonita que estaba el sándwich se cayó encima de un montón de plumas que había allí.

Ahora el sándwich estaba cubierto de plumas sucias.
—Bueno —dijo ella—, ya no me lo puedo comer. **Está asqueroso.**

Y le dio una patada al sándwich,
que cayó entre las flores...,

después fue a rebuscar
entre los cubos de basura.

Entre las flores había algunas babosas. A ellas no les importó la arena, el pringue verde, ni las marcas negras, ni los cientos de hormigas, ni las plumas viejas. Se deslizaron por todo el sándwich dejando restos de lodo y burbujas de babas.

Salió la luna.

Finalmente llegó el tejón.
Estaba más hambriento que nunca.

Miró fijamente el sándwich lleno de arena,
pringue verde, marcas negras, cientos de hormigas,
plumas viejas y restos de lodo que brillaban bajo
la luz de la luna.

Su tripa rugía de hambre.

Grgrrr...
Grgrrr...

Slurp

Así que se
comió todas
las babosas.

ZZz

Pero no se comió el sándwich.

Estaba asqueroso.

Para Joseph, Imogen, Hester y Kit, mis hijos, quienes pueden divisar un tejón a kilómetros. – G. E.

Para Ben, un heroico salvador de babosas y fan de los sándwiches asquerosos; y para Alison, Zoë y Rebecca, ¡un equipo fantástico! – H. S.

C/ Laurel 23, 1º. 28005 Madrid
www.edicionesjaguar.com
jaguar@edicionesjaguar.com

Primera publicación en 2013 por
Alison Green Books

IBIC: YBC
ISBN: 978-84-15116-89-9
Depósito legal: M-12472-2014